兔子刑警的
發情期！
hatsujouki janakya nagutteru!
presented by
sasaki ima + takase roku
佐崎いま＋高瀬ろく

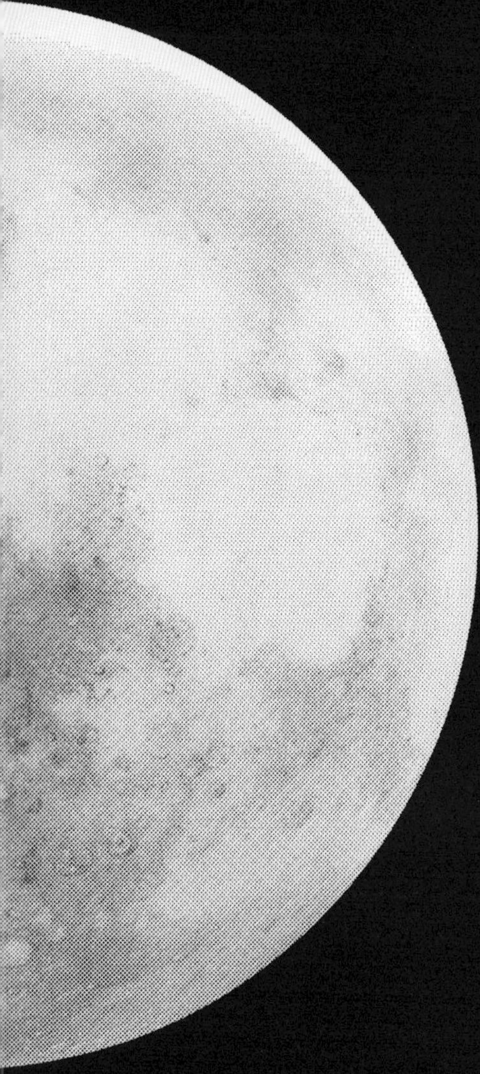

CONTENTS

hatsujouki janakya nagutteru!
presented by
sasaki ima + takase roku

第1話
世界上有一種被稱為「兔子」的體質。
有這種體質的人性慾會隨著月圓增長，一照到月光就會發情。
就快要滿月了…
就算用兜帽遮，也開始有點想做了…
コツ コツ コツ

沒見過的傢伙啊，
是逛到這區的黑道嗎？
可惡，要是月亮被雲遮住，
我就能盤查他了。

！
ビュッ
啊，
哇啊……！
ザザッ
啊！
慘了……！
兜帽被……！
！
只不過，
擁有這種體質的人
相當稀少。
かぁぁ
ぞくぞくぞくぞくっ

啊！
呼…
哇啊…
呼…
ガクガク
呼…
!
!?
幾乎沒有人知道
有這種體質存在。

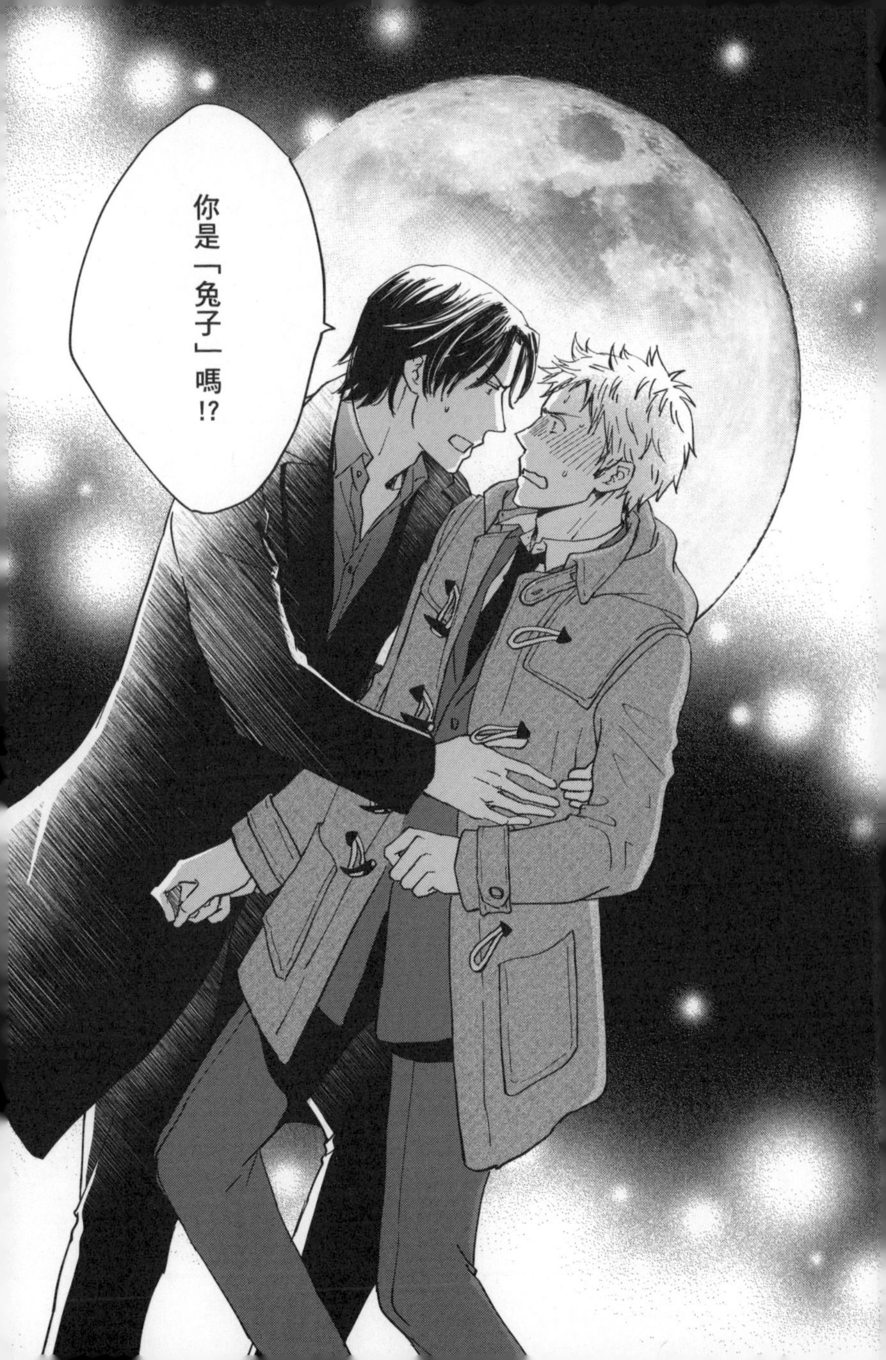
你是「兔子」嗎!?

啊！
ダッ
可惡！
啊！喂！
大神先生~
讓你久等了！
抱緊

討厭～～你跟警察在做什麼啊!?
ダーッ
警察!?
剛剛那個人不就是東分局的宇佐美先生嗎!?
他是轄區在我們這邊的生活安全課刑警喔。
哦～
大神先生也真是的，你連這都不曉得就跟他搭話了嗎!?
我才剛來到這一帶不久，所以不怎麼清楚啊。
是喔～？

※註：「宇佐美」日文音近「兔子」。

原來如此，兔子體質還叫宇佐美啊。
竊笑竊笑
不過，我也跟他差不多就是了。
我說我說，別管他了，我們快去旅館吧!?
拉拉
我聽同行的朋友們都說大神先生好像很威猛耶!?
呵呵呵
HOTEL CUPID
CUPID
只今
4500円~
7500円~
……
唉……

啊！啊嗯！
啊！好棒！❤
ビクッ ビクッ
不行，不行了！要壞掉了～～
拜託你，大神先生！
呼！呼！我…如果是跟大神先生…
呼！
呼…
就算是私底下也可…以…
呼…
唔……
！
…癱軟
嘖！

喀嚓
那種話好歹也等能陪我做到最後，讓我射了之後再說啊。
呼—
啊～…
真想嚐嚐兔子的滋味啊…
呼啊！呼啊！

呼…
呼…
カンカン
ガチャッ
バタン
啊～真是受不了，可惡，有夠難受。
ずーる…
呼…
呼…
…不行了，腦中一片空白…
呼…
呼…

喀嚓 喀嚓
スルッ
身體深處好熱…
今天試試看把跳蛋之類的塞進去好了…
呼…
呼…
ぬるっ
嗯…!
ぬちゃぬちゃっ
呼!
唔…
分明渴望能被滿足…
啊…嗯!
ぬるぬる
すりすり
呼…
ぬる
くちくち
啊!
びくっ
糟了，好想去床上。
後面…後面…也…
呼…
呼…
呼…
呼…
好想摸…再盡情搔弄…
呼…
にゅるぬるにゅる
你是…「兔子」嗎!?
ぞくっ
呼…!
啊…!
びくっ
びくん!

卻徒留空虛。
呼…
呼～！
呼！
那個男人…究竟是…
又來了…！
可惡！又還沒到滿月，今天到底是怎樣啊——

東警察署
喂～！宇佐美～
是上哪去了～？
生活安全課
這時間他應該在後面的公園吧？
啊～他還沒回來喔？
みんなでなかよく
あそびましょう
昨晚在那之後又射了三次。
三次…就算是這種體質也太誇張了…
自慰之後的隔天……

太見不得人了！
我不能再這樣不檢點下去！
啊！魚佐美～！
我總是不禁心懷愧疚。
ガガガガ
ババババ
魚佐美，一起來玩～！
魚佐美～！你又在撿垃圾嗎!?
咕！
太耀眼了！
不要看我！別用那雙閃亮的眼睛看我…！
老師～！我們也要跟魚佐美一起撿垃圾～！
大家，要叫「宇佐美先生」才對喔～
好——！
啊！沒關係的！
別在意這種事!!
你們要幫我撿垃圾嗎!?真了不起～！
那就大家一起…
喂——！宇佐美～！

你在做什麼！你的報告寫完了嗎!?
要去巡邏了，快點回來！
啊！中村哥！
哈哈哈！魚左梅被罵了～！
叨唸叨唸叨唸叨唸
對不起…
我不是說過今天要去巡視新的店家嗎？
第一印象最重要！
是！
DVD
60分 3000円
…好！集中精神工作！
對～對～氣勢很重要。
ピンサロ 30分 3000円

對了…！昨晚的那個男人！
怎麼看都不像善良百姓，該不會出沒在這種紅燈區…!?
張望
就是這棟大樓吧。
…咚！
哈哈…怎麼可能會這麼巧…
吖…
スッ
打擾嘍。
ギイッ
!!
出現啦!!

…!?
我們是東分局的中村和宇佐美。
這位一臉凶悍的小哥是保鏢嗎？店長是哪位？
啊…是我。你們是負責這一區的生安課刑警吧!?
……
聽說你們今天新店開張，我就想說來打聲招呼啊。
冷…冷靜點！現在可是勤務中。
握緊
真是勞煩你們費心了。
ピッ
カシャ
你們店裡有「BOY」對吧？有針對未成年跟小女生加強把關嗎？
那當然~
ドキッ

呵!
那個…就當作是跟你們打聲招呼…
驚
這是一點小意思。
哦,這個啊…

喂，你啊！
住手！
びく！
這樣是犯罪喔！你懂不懂啊!?
啊！
宇佐美。
好痛啊～
中村哥！
可是……！
對不起！對不起！

拉過
!?
鬆手
你幹嘛啊，
放手…
ぱっ
!!

好啦好啦，別這樣嘛！
拉開
我們走吧，宇佐美。
啊，是！
店長，抱歉喔，打擾你了。
改天見嘍，小兔兔。
!!

滿月之夜
我會去找你。

那點程度用不著這樣大驚小怪啦。
那是常有的事。
那傢伙…
果然曉得…我的體質…
宇佐美，你有在聽嗎？
喂—
咦！
啊…是的！什麼事!?

…不過
你那種正義感
也很重要啦。
咦？什麼？
感謝誇獎…？
…我沒在誇你。
唉…
咦咦咦！？
月亮…圓了…
滿月之夜
終是降臨。
呼…
呼…

カン
カン
カン
呼…呼…
…「滿月之夜，我…會去找你」？
喀嚓
哇啊！
!!
什…！
呼！呼！

呼…呼！
!!
ガタッ
…嗯唔！
嗯！
咕！
嗚～！
バン！
ダンッ

兔子刑警的發情期！

hatsujouki janakya nagutteru!

presented by sasaki ima + takase roku

第2話

這是怎樣？發生什麼事了!?
啊，放…！
嘻！啊！
呼！
啊！
呼啊！
啊…啊啊！
這傢伙突然出現…然後就…
呼！
這是怎樣，停不下來…
不…不要！快住手！
住手…！啊！
呼！
呼啊！

就算揮拳
也該抵抗他，
可是我⋯⋯
啊！
身體完全
使不上力！
呼⋯⋯
呼⋯⋯
呼⋯⋯
噫！
啊！
啊！
噫！
啊！
啊！
呼
啊！
啊！

啊…咕…！
びくっ
びくん
嗚…
ガクガクッ
呼—
呼—
ふにゃ…
啊…啊嗚…啊…！
はくはく
呵…！你是第一次前列腺高潮嗎？
くちゅ
嗚啊！
びくっ
呼啊…
呼！
呼啊…
去死！
不…不要碰！
呼…呼…

隨你去說。
哇！
還沒結束喔，腳抬起來。
來啊，這邊想射也可以喔。
噫！
啊！
呼…
嗚…
住…啊…住手…
啊！
啊…啊…

…哈哈！
這就是…兔子的滋味啊。
ピクッ
呼—
呼—
呼！
呼…啊…！
啊…！
啊！
嗯！
…這傢伙果然曉得「兔子」的事…
好棒…
雖然想問他到底是什麼人…不過…
呼！
不行了…我已經完全…
呼啊！
呼啊…
呼…
要…要射了…

没辦法思考了——

…去死!!
我要宰了你!!絕不會原諒你!!
我要讓你吃一輩子的牢飯!!
嗚嗚嗚——!
…真抱歉。
我原本也是打算一步一步來…
撇頭
啊!?
不過你也滿爽的吧。
不要碰我啊啊啊啊啊啊!
無法反駁也…嗚嗚嗚—!

滿月時
一看到兔子，
我就無法自制了……
抱歉。
……滿月……時……
兔子……
唔——
……你……為什麼
會知道這些？

你到底是什麼人!?
怎麼會知道這種體質的事情!?
兔子
我嗎？因為我是「狼」啊。
就跟你是「兔子」一樣，也有另一種稱為「狼」的體質。
那是怎樣，好帥！
安靜聽我說。
ぐいぐい
咕唔唔…

「狼」和你們「兔子」一樣，會被月亮影響性慾。
唔！好重…
ごろん
只不過我們是被強化了「吃」這部分。
「吃」？
不用我說那麼白吧，
所以我才叫你安靜聽我說完啊。
搓頭搓頭搓頭
咕唔唔唔…

滿月時的狼，不論怎麼「吃」都無法滿足。不管抱了多少人都無法宣洩慾望。
說到底，一般人在我高潮之前就已經暈過去了。
能夠滿足「狼」的，就只有「兔子」而已。

我第一眼見到你時，就知道你是「兔子」了。
我那時心想…終於找到了。
ギッ
實際抱了你之後，我第一次得到了滿足。
…！
かあっ

得到了…滿足…
這一點…
其實我也——
我想要你。
什…!?
啊…

別…別……！
別開這種…玩笑…！
你也太得寸進尺了！變態！
我可是刑警喔！像…像你這種人，誰會……！
呵！
啊！
!!
啊哈哈！魚左梅被罵了～！（語調死板）

混蛋！你看到了喔！
聽說了你是東分局的刑警我就跑去確認了，那時候看到的。
你穿著西裝在公園打掃的身影真是耀眼呢。
你這跟蹤狂!?
當我的人吧，宇佐美圭吾。
你應該也不想被小朋友們知道你竟然可以前列腺高潮吧？
ずいっ
哇啊啊啊!!
人渣！去死！大變態！
ぼふっ
我絕對要逮捕你——!!
別這麼說嘛~你剛才很可愛喔。
拍拍

吶，我們一起住吧。
!!
這樣一來對我們彼此來說都比較方便吧。
啥啊啊!?
我叫大神，請多指教嘍。

對了，這樣我還需要你家的備用鑰匙呢。
啊!?
咦!?
慢著！
啊，掉在這裡啊……嗯。
給我慢著！我都還沒說准你…
啊…可惡！
ガクン!!
喂，別太逞強喔。
竊笑
唔!!
ぼすっ

隔天
東警察署
啊~~~!
資料室
啊!啊!啊…!
那個混蛋…
ブルブル
大神
大神那傢伙…
果然是黑道嘛…
雖然已經金盆洗手。
署外への持ち出し厳
脫離該幫派。
00年0月

不行不行！
不管他是脫離了還是怎樣，那種傢伙……！
不但有傷害前科，
每一份工作也都做不久嘛！
啊———可惡———！
ぐしゃ
ぐしゃ
ぐしゃ
可惡……！糟透了……！
我沒辦法…徹底拒絕他。
ぐしゃっ
當時…覺得好舒服…
不是玩具，也不是自己的手指。

是那傢伙的……
熱度——
！
わあああ
哇啊啊啊啊！
我已經沒救啦啊啊啊啊！
糟透了——！！
哇啊～！
…？

唉——
とぼとぼ
コッコッコッ
咕嚕嚕嚕嚕

唔唔唔……
肚子好餓…家裡還有沒有泡麵啊？
よろよろ
嘖！…他竟然在喔。
……！
ぞくっ
…別被他牽著鼻子走。
…今晚我可不會跟他做。
我還有一大堆事要問那傢伙。

ガチャ
ギィ
我…
…我回來了。
トゲトゲ
喔，辛苦啦。
ひょこっ
晚飯煮好了喔。
ビクッ
啊!?
啥意思!?
飄香
!

我要端出去，來幫個忙。
這是怎樣啊!?
拿去。
！
我看了你的冰箱，感覺你吃得很隨便，就幫你做了。
不要亂開啊!!
ばっ

啊～還有衣櫃裡的那些玩具是…
怦咚
自慰用的嗎？
下次做的時候也來用用看吧？
竊笑竊笑
去死啦!!
你可是我好不容易才找到的「兔子」，我會珍惜你的。
カチャカチャ
唔—…
熱騰騰
熱騰騰

ぐいっ
不說那個了。你…果然是黑道嘛。
我查了你的事。
瞥
!
別在意了，來吃飯吧。
食物是無辜的吧？趁冷掉之前快吃吧。
……
熱騰騰
プルプル
熱
呼
呼

だーん
!
どかっ
我開動了!!
ガツッ
ムシャムシャ
你也快點吃吧。不是說會冷掉嗎!?
喔…好…
むしゃ
モグモグ

唔喔!?
好好吃!?!?
呵呵呵!
嘻嘻…
啊!
怎樣啦!
我只是在想，你回到家跟吃飯時都會招呼，真有禮貌呢。
不行嗎!!
不…
我覺得這樣很好。

……
喀嚓
喀嚓
唰——
擦
擦

カチャ
唰—
……
唰—
關上
擦擦
你剛剛說查過我的事了吧…？
「狼」的衝動，會轉化為暴力。

輕放
恐怕你也曉得了，我正因為這個緣故而失去了一切。
連在黑道也沒辦法持續做下去。
抱過你的現在，是我第一次打從心底感到平靜。
不論你是怎麼看我的…不管要用上什麼手段，
我都沒有打算再放開你了。
……!

我真的很需要你。

兔子刑警的發情期！

hatsujouki janakya nagutteru!
presented by sasaki ima + takase roku

第3話
結果在大神的強迫下，我們同居了一星期。
儘管我也不想知道，但我明白了一件事情…
跟那個傢伙做愛真的超～～級舒服!!!
丟臉死了～！我不能接受！全部都是月亮的錯！
汪！汪！
總是麻煩你啦，警察先生。
啊，不用客氣——
東警察署
宇佐美，你這傢伙！報告寫好了沒!!
哇啊！對不起！

ガミガミガミ
ガミ
しゅーん
對不起…
咬呀~
你下次再這樣就把你調回派出所去喔!
遵命。
自從第一次見到大神那天以來，光是一想到他的臉，就心癢難耐。
兔子與狼之間的關係身體最清楚了。
是因為「被滿足了」嗎？夜晚不再像之前那麼難熬了…
只不過…
コツ コツ コツ

嗨，回來了啊。
晚飯正好煮好了喔。
我不曉得這份關係代表了什麼……
我回來…了…
我可不會被你籠絡！
今天吃中華料理喔。
咦？你做的嗎!? 真厲…
啊！
竊笑
我開動了！
好喔。
這是什麼？
油淋雞。
哇喔！好好吃！
呼、呼！
カラッ

ぱんっ
我吃飽了，多謝招待！
非…非常好吃…
那真是太好了。
……接下來…
瞄
ドキン
雖說現在才半月，但你已經想要了吧？
竊笑竊笑
ばっ
…唔！

かぁぁぁぁ
就……！就算只是半月，只要先「獲得滿足」，之後也比較好過嘛……！
……聰明的決定。

※嗡嗡嗡…
ヴーヴヴヴ
呼啊！…啊！
嗚…！嗯…！
這…這算什麼嘛…！拔出來啦！拔出…唔！
你看，這邊也覺得很高興喔。
トロォ…
くちゅくちゅ
スリスリスリ
噫…！
趁著沒有滿月，還有這種從容的時候，就讓我好好享受吧。
呀…！啊！呀啊！
啊…可惡！
啾！
啾！
嗯…！

啊!
啊啊!
呼!
啊!啊!
噫…啊!
啊!
啊!
你之前都是自己這樣做的吧?
不…要…太……
過分…了!你這…傢伙!
這種東西怎麼可能讓我「滿足」嘛…!
呼ー
呼ー
呼ー
…哦,這樣啊?
只有玩具不夠是不是?

ずるん
嗚啊！
不然要怎麼樣？
你這隻「兔子」要怎麼樣才會「滿足」呢？
說說看啊。

咦…!?
啊…!
呵!
…唔!
咬
用…你的手指…
然後呢?
…再…
…用…你的…嘴…
呼!
呼!
呼!
嗯。

然後呢？
應該還有吧？
呼啊！
啊…
ビクッ
夠…夠了…拜託你…插進來…
ガク
ガク
呼啊…
呼…
…乖孩子。
ぞくっ

呼…！
好大…。
啪！
啪！
啪！
啊！
好…棒…
呼！
呼！
啾…啾…
呼啊！
啊！
啊！
呼！

啾…

可惡！就跟他說很重了～
もぞ…
嗯…
ギゅっ
糟糕！吵醒他了？
呼嚕——…

剛剛的吻…好溫柔啊…
…呃!!
啊!
不不不!我是在心動什麼!
呼ー呼ー
ぶんぶんぶん
月亮!是月亮害的!都是月亮的錯!!
這一切都是…
ドキドキドキドキ…
…月亮的錯——
キュッ

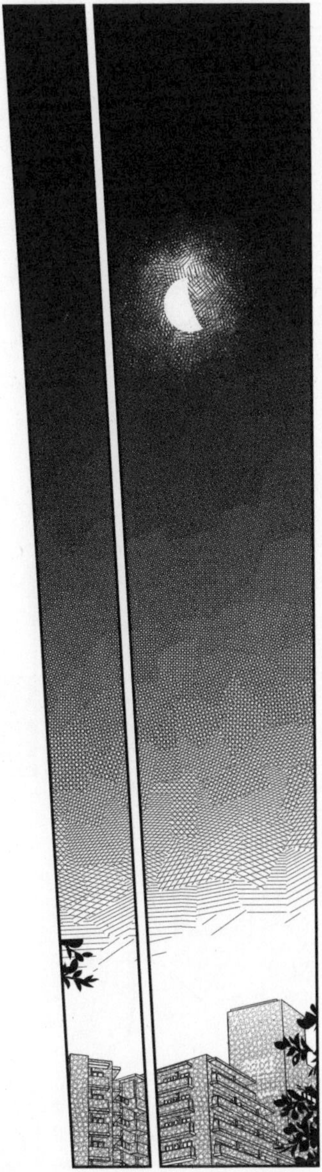

ちゅんちゅんちゅん
ムム…

ギシッ
ちゃんちゃんちゃん
可惡，完全睡不著…
呼哇——！
呼— 呼—
イラッ
仗著自己晚上才要上班…
那間爛店！最好不要給我做違法生意喔！
バサッ

バタバタバタバタ
バタン!!
我今天一早就要開會耶!可惡——
……
東警察署
會議室
不不…
哈哈哈…
ガヤ
ガヤ
別那麼說嘛……
已經中午了啊~吃過飯之後,就直接去巡邏吧。
了解!

定食
早い！うまい！安い!!
めし
ザワ
ザワ
你最近胖了呢。
有什麼推薦的運動嗎？
呼啊～
怎麼啦？睡眠不足？
唉…有一點…
不好意思…。
チャラッチャ
チャラッチャ チャラッ
嗨～大家午安！
現在就來進行輕鬆簡單的清冰箱晚餐☆
單元嘍～～!!
料理節目啊。
這個人很有意思呢～
對啊。
今天的食譜也非～常簡單！喔！
還請老師示範～

不管怎麼說～～
要擄獲男人，最好的辦法就是先擄獲他的胃袋喔～～！
ポ～ン…
噗！
哇啊！你幹嘛啦！
啊～啊～真是的～
對…對不起。
咳咳咳…
說起來，你有沒有願意幫你下廚的好對象啊？
ギク!!
咦!?
才…才沒有呢…
那種傢伙怎麼可能嘛！
喔…喔喔？
那種傢伙？

東警察署
萬歲～！
報告寫完啦～～！
感覺今天工作效率超棒耶～
宇佐美！你好吵！
嗯～
啊！
啊，對不起。
…你看起來好像很忙呢，中村哥。
有什麼我可以幫忙的地方嗎？
不，沒關係。
啊…是的。
宇佐美。

是！
ギ
有什麼事嗎？
キラ キラ
盯……
…抱歉，還是算了。
唉…
くる
今天沒事了，你可以回去了。
咦——…
？？？
…喔。

ぼ～ん
ほか
ほか
最好的方法就是要擄獲男人的胃袋喔～喔～喔～…
咕唔唔唔…菜色又變多了…
你怎麼啦？一臉蠢樣。
どかっ
吵死啦！
ほか
ほか
ほか
……

你做飯給我吃…
是為了要擄獲我的胃袋嗎!?
呼…
啊~哈哈！哈哈哈！
有…
啊哈哈…！
有什麼好笑的啊!?
哈哈…
要是這種東西就能籠絡你，那我可就輕鬆了呢…！
我不是說了嗎？我會珍惜你的。
！
珍…「珍惜」是指…
況且…

我本來就喜歡做菜。
我在現在的店偶爾也會露一手喔。
にやり
…雖然在哪裡工作都做不久就是了。
我…我要開動…了…
嗯。
啊…這麼說來，你啊…
嗯？

在我之前，有跟其他男人上過床嗎？
嘿嘿
噗—!!
這這這這種事情我怎麼可能說得出口啊!?
太沒羞恥心了!!
雖然你話講得很古板，但後面還挺習慣的吧。
所以我才想說你該不會有過玩具以外的經驗。
笨笨笨…!!
…唔!
咕!
盯…
…改天我會欺負到讓你鬆口的。
呵!
今晚我要上班。

儘管對你而言是間爛店，但對我來說那是好不容易才找到的工作。
……!!

我今天早上說的…被他聽到了喔…!?
吃完之後把盤子放到水槽裡泡著，
要是覺得寂寞，就自己拿玩具來玩吧。
!!
已…已經是半月了！我忍得住啦！不用你多管閒事，笨——蛋!!

噗！
咕…咕……
哈哈…哈…
哈～…哈哈…

……
這孩子也未滿十八歲啊…
都是第幾個人了…？
パサッ
パサッ
…根本罪證確鑿嘛。
中村，怎麼樣？感覺可行嗎？
課長。

我稍微查一下，結果證據就接二連三地自己跑出來了。
第一天去打招呼時，他們就想賄賂警察，那時我就想這間店也太大膽了。
不曉得是他們真的這麼大膽還是太笨了呢…
嗯…好。
那就取締這間店吧。
啪！

兔子刑警的發情期！

hatsujouki janakya nagutteru!

presented by sasaki ima + takase roku

第4話

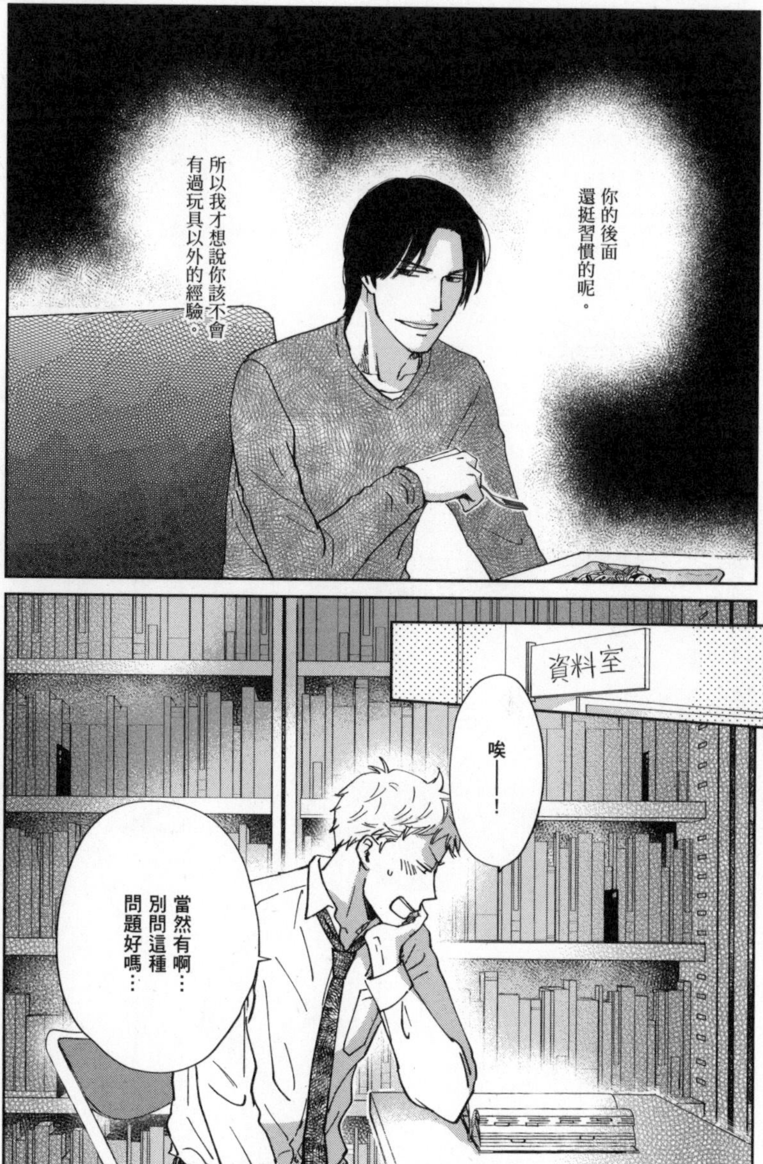
你的後面還挺習慣的呢。
所以我才想說你該不會有過玩具以外的經驗。
資料室
唉——！
當然有啊…別問這種問題好嗎…

雖然是因為這個體質的緣故，以前都沒有固定的對象…
但很抱歉，你可不是我的第一次喔。
姓
大神
以前…
市立図書館
知道自己是「兔子」不久後，
因為無法壓抑發情期，所以有出入過紅燈區。

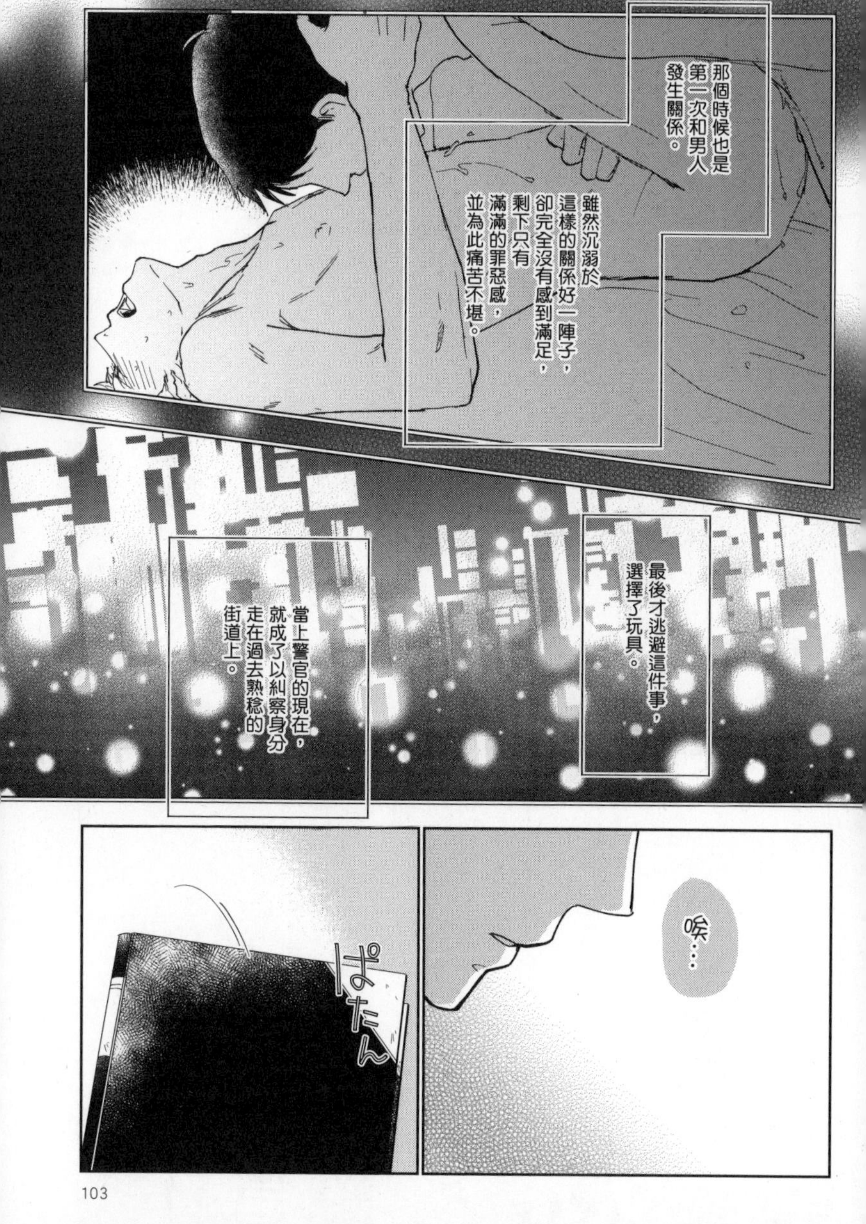
那個時候也是第一次和男人發生關係。
雖然沉溺於這樣的關係好一陣子，卻完全沒有感到滿足，剩下只有滿滿的罪惡感，並為此痛苦不堪。
最後才逃避這件事，選擇了玩具。
當上警官的現在，就成了以糾察身分走在過去熟稔的街道上。
唉…
ぱたん

之前不曉得除了「兔子」還有「狼」的存在，
雖然我用玩具好歹還能撐得過去，
那傢伙的話…
比起我這個「兔子」，「狼」體質的那傢伙…人生一定會比我還要辛苦得多吧。

我需要你——
パラ…ッ
今晚試著跟他稍微聊一聊吧…
姓
大神
名
晧

——我開始有點想知道
關於那傢伙的事情了。

我回來了~
咦!?
不在嗎!?
パチッ
什麼嘛，
我好不容易
才下定決心…
嗯？
這是什麼？
字條？
我去上班了。
晚餐放在冰箱裡，
加熱來吃吧。
大神
ガチャ
ガチャ
どすどすどす
什麼？

真是不湊巧啊。
嘖～
ぐび
是說，他真像個老媽子。
カチャカチャ
嗯？這個挺好吃的嘛！
到底是怎麼做的啊？
もぐもぐもぐ
もっきゅもっきゅ
もぐもぐ
…嗯…
ごくん
算了，沒差…
也用不著趕在今天。
明天也行，後天也可以。
我吃飽了～
カチャカチャ

要聊隨時都能聊嘛。
——

シャーッ
宇佐美
ギッ
…嗯。

嘩嘩嘩嘩嘩…
嘩嘩嘩…
嘩嘩嘩…
喀嚓
呼哇~！
呼ー
呼ー
ザーッ
バシャッ
ガチャ
我出門了。
バタン！
バタバタバタ…
晚餐很好吃！
多謝招待！
宇
冰箱有啤酒，
想喝請自便喔。

早安！
警察署
喔～宇佐美。
咦!?課長跟中村哥今天好早喔！
集合！快進會議室！
バタバタ
バタ…
!?
喂，來一下。
中村哥，怎麼感覺大家慌慌張張的…
不要多問！
？？？

要取締之前
那間店了。
今晚要檢警搜索，
你也在名單上。
什麼!?
他們突然就
塞了賄賂過來，
我想說大概是
賣淫的酒吧。
懷疑他們有問題，
仔細一查之下，
果然男公關有將近
一半都是未成年。
咦咦咦!?
那不是
大神的店嗎…!
要被
搜索了!?
等…
等一下，
我怎麼什麼都
沒聽說!?

為什麼沒有
事前跟我說啊，
我們不是搭檔嗎？
因為調查工作
不能分給你啊。
真吵啊～
盯
啊！
咦!?
不會吧？
難道他知道
我跟大神同居？
什麼時候
知道的!?
因為我跟嫌疑犯
有關，才會被
排除在外…!?
可是…
要是這樣的話
檢警搜索不可能
要我一起去啊…
ザー
知道就快點
進會議室嘍。
咦？咦？
咦——!?
カン
カン
カン

慢著，大神呢!?
那傢伙會怎麼樣!?會被逮捕嗎!?
中…!
…中村哥!!
今天會讓你負責拿搜索票。
你是第一次吧？振作點喔！
…!

唔…
…好…的…
ぎゅっ
大神…!!
ザワ
ザワ

わ‥
わ‥
討厭啦～♥
哈哈哈…
啪嗟啪嗟
嘩ー嘩ー
搜索票
我是警察!!

わあっ
我們是東分局的生活安全課！
所有人待在原地不准動，聽從員警的指示！
不准離開店裡！
わああ
わああ
不准動！喂～！
バタバタバタ
你幾歲!?
呀—放開我啦——！
哇啊啊！
噫！
シャッ

…唔！
咕…！

わいわい
ザワザワ
之後逮捕了店長與
童娼的買春客等數人，
其他人則是留下來
做筆錄。
我也因為處理問訊及雜務
忙得手忙腳亂，
沒跟大神說上話，
就這麼
找不到他了。

之後才聽說
中村哥好像很早之前
就已經察覺
我跟大神同居的事。
在這個前提下他還願意相信我，
（當然部分原因是基於
內部偵查的結果）
今天的檢警搜索便讓我一起同行。
關於這點我是真的
很高興…但是…
コッコッ…
結論來說，
就像是我騙了大神一樣。
雖說這也沒辦法，
但是——
…沒有回來啊…
…我想也是啦…

ギィ
我回來……
…了。
他應該已經不會再回來了吧…
唉…
……
ガサッ

唔——
喀嚓
嘰…
！

你是在發什麼呆啊？也不開燈。
パッ
啪嚓
…我還以為你已經不打算回來了……
…喔。
今天還真是一團亂。
你也真厲害，完全都沒有說漏嘴耶。
びくっ

不是這樣！
我根本不曉得…
啊！
啊…不是…
…抱歉…
這是藉口…
就算曉得，
你也不能說吧，
警察先生？
呵！
！
唔咕…
況且，
我本來就在想
那間店遲早
會被檢舉啦。
カチャカチャ
算了，只好
再繼續努力找
下一份工作…
我！

我會負起責任…!
啊!?
我會負起害你丟掉工作的責任!所以……

…你突然說起這個幹嘛啊？
呼…！
呼…！
…發生這種事，就像我騙了你一樣…！
！
…噗！真像是你會做的事呢。
スッ

がしっ
ぐしゃぐしゃぐしゃ
唔…哇！
住手!!
那間店違法了，而你執行了自己的工作，
只是這樣而已吧？
ぽんぽん
じゃ
～～～！
…那…個啊……
我想多知道一點……
…關於你的事。

…例如「狼」究竟是怎麼一回事，還有你之前的經歷等等…
我想要「聽你說」這些事情。
還有，畢竟我是「兔子」…
和你在一起，我就覺得很安心…
——！
ぞくっ
かああ
…所以說？
…!!

所以說…!
我希望你哪裡都別去…
哈哈…!
啊!?笑了!?為何!?

哇！
我怎麼可能會跑到別的地方去嘛!?
我不是說了嗎？我需要你啊…！
大神…

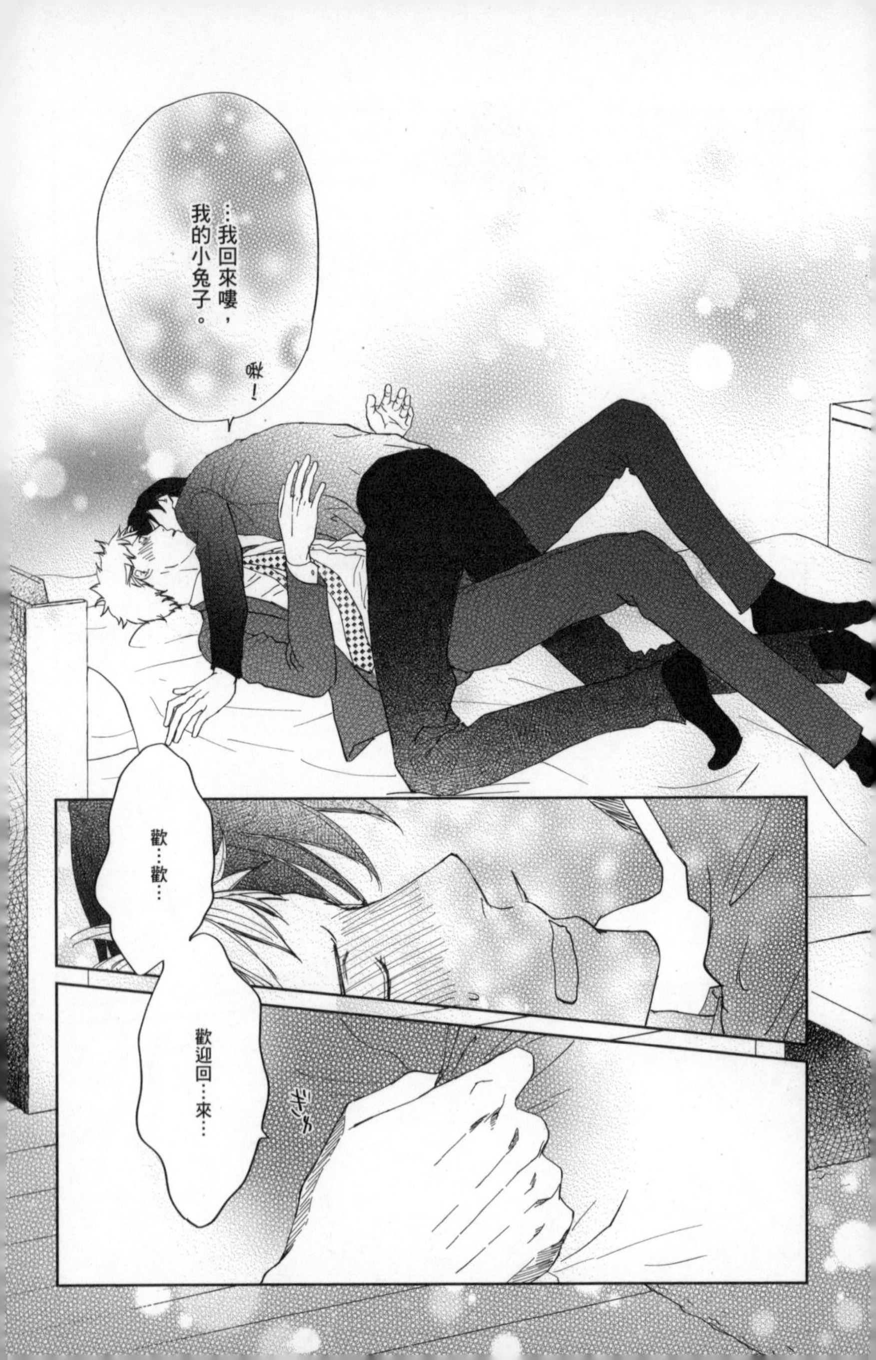

…我回來嘍，我的小兔子。
啾！
歡…歡…
歡迎回…來…
ギュ

大神的話帶起了
我身體深處的熱度，
只不過是「我的」
這麼一個單純的詞彙，
卻讓我像是要從
內部開始融化一般。
我原本都已經放棄成為
某人「特別的存在」了——
…呼…
稍微…
讓開一下…
もぞ…っ
很…很重…
西裝也會
皺掉…
もぞもぞ
ごそごそ

怎麼啦？想做了嗎？
…嗯…
啊！
びくっ
にやにやにや
驚
ガバッ
要…要不是發情期我早就揍你了!!
都快要新月了喔。
～～～唔！
揍你!!我絕對要揍你——!!
好啦好啦～脫了吧。
哇啊啊啊～

END

兔子刑警的發情期！

下一頁開始是加筆短篇漫畫！

加筆短篇漫畫「在新月之夜」

「狼」體質的我，過去根本亂七八糟。
性衝動隨著月圓增加，
感覺女人容易玩壞，所以侵犯男人，卻因為無法滿足而焦躁地使用暴力，結果連男人也壞了。
像這樣的情況每個月都週期性地發生。
…根本不可能度過正常的人生。

雖然隨著年齡增長，
某種程度上可以靠著
理性跟菸來壓抑，
但就算如此…
……
啊唔……
啊？…
呃？…
ぱくぱくぱく
…喂。
啊——
…說因為新月期
不會發情，
所以想聽我談談
過去事情的人
明明就是你吧。
…喂，別露出
那種表情啊。
很沒禮貌耶。

是那樣沒錯…但怎麼說呢，總感覺很抱歉…
…抱歉。
唉——不要道歉啦…笨蛋！
ぐしゃ
不說這個了，也談談你的過去吧。
啊！咦!?
…有和我以外的男人發生過關係嗎？
說啊。
快說。
ぱっ
…唔！
不說的話，就問問你的身體吧。
啊哇哇!!

等…！等一下！大神，你太詐了！
ドサッ
你只叫別人講，自己卻什麼都不說，難道這樣就不詐嗎？
嗯…
……
…總覺得…
有夠…害羞的…
對啊…
新月期就可以這麼冷靜呢…
嗯…

！
說是這麼說，
但這狀況下說要停也太不知趣了。
スルッ
ビクッ
噫呀！
…喂，你那是什麼反應啊？現在還想假裝自己是處女嗎？
你你你你你吵死啦！就說了莫名覺得很害羞嘛！

…
かか〜〜っ
ドッ ドッ ドッ ドッ
…沒有在發情的你，比較可愛呢。
啾！
嗯！
…唔…
呼…

……
……
さっ
ど
…我看今晚還是算了。
嗯，算了吧…
好重！
……
スス…
拍 拍
？

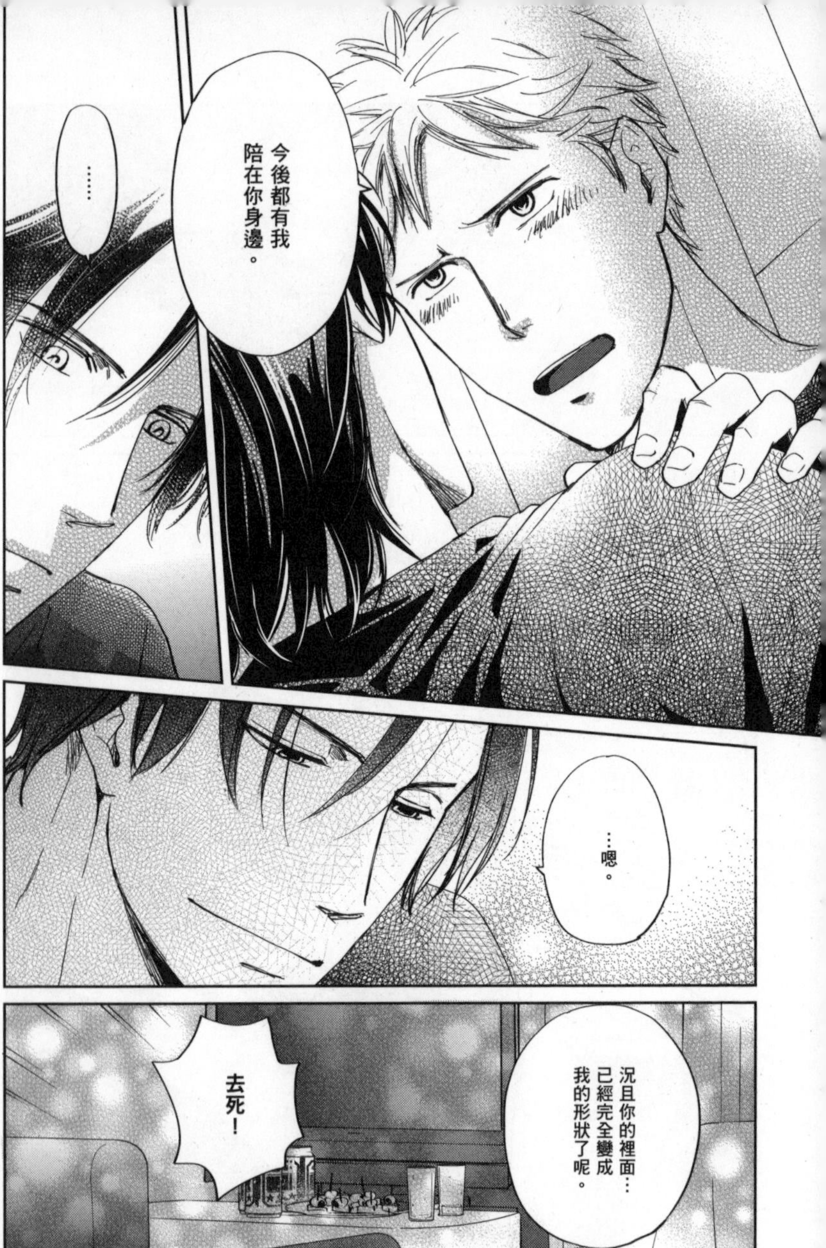
今後都有我陪在你身邊。
……
…嗯。
況且你的裡面…已經完全變成我的形狀了呢。
去死！

END

發情期來到
最高潮的
滿月之夜，
加筆短篇漫畫「在滿月之夜」
兔子感冒了。
呼…
呼…
呼…

他好像很難受…
可以的話我也想
好好照顧他，
可是…
ギシッ
唔～～…
呼 呼
呼…
呼…
…唔！
…！
呼…
呼…
…真抱歉，
翻身…
看來今晚
沒辦法了…
呼…
呼…
真抱歉——
但在滿月之夜，
看到眼前有隻
虛弱的「兔子」…

叫我不要吃才是……不可能的。
!!
嗯……!
嗯……!
嗯……!
呼…!
呼…啊…!
啾
呼……!
啾
嗚……
啾噗
啾
啊……!
——而且……

バサーッ
什…!?
喂!

我看你也很想做吧。
……要……
要是傳染給你，可就麻煩了…
那就換你來照顧我吧。

呼！
嗯…
ぴちゃ
ぴちゃ
ぐちゅ、ぬちゅ、
呼……
呼…
呼…

——得知世界上存在「兔子」時，我認為這就是我的救贖。
ぐちゅ
ぬちゅ、
にゅちっ
にゅちっ
啊！
啊…！
びく
びく
好熱…

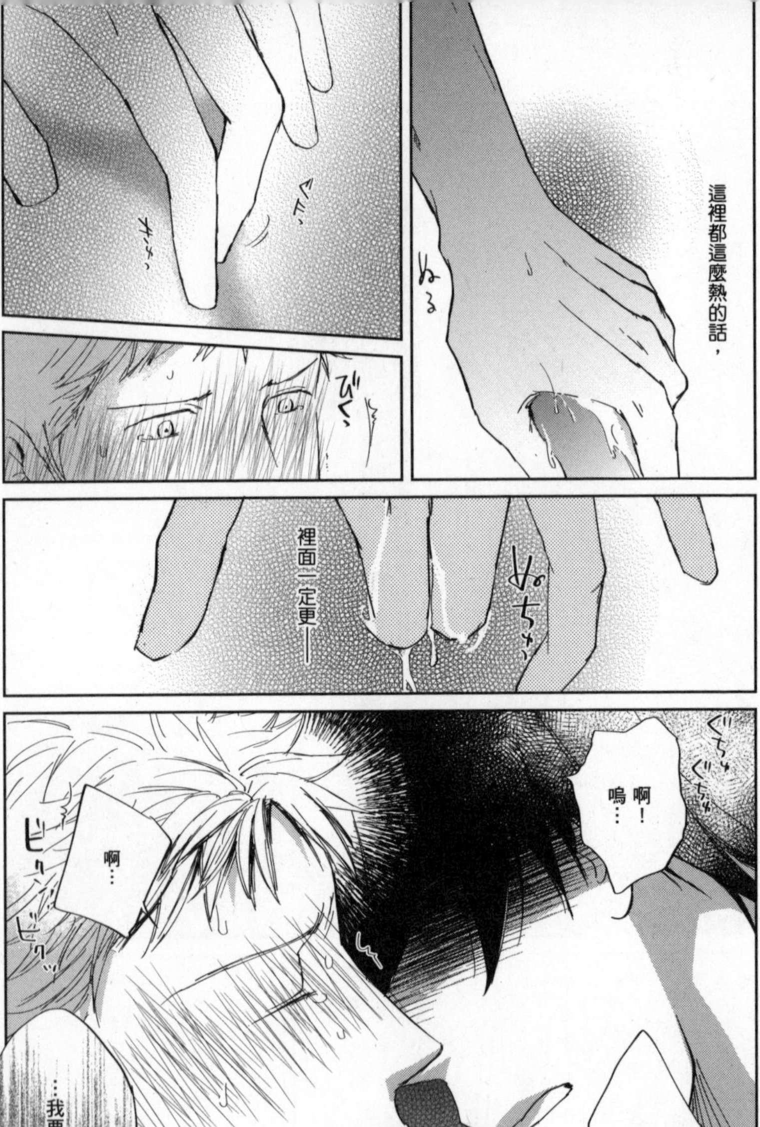
這裡都這麼熱的話，
ぬる
びく、
裡面一定更──
啊！
嗚…
啊…
啊！
…我要進去嘍。

嗚啊……！
ゴリュッ
十年前知道有「兔子」至今，
就在我幾乎要放棄時，找到了這傢伙。
大…神…大神…！
呼…！
呼…！
啊…啊…我的兔子，
你的裡面…好熱…
呼！
呼！
呼！
呼！

好像要融化了……——
呼……
呼……
呼……
你真的……太…勉強人了……我要…死了……
呼ー
呼ー
呼ー
呼ー
不過你也「被滿足了」對吧？

コテッ
…嗯…
もぞ…
你很努力呢。
…
呼…
你體溫涼涼的…感覺好舒服…
真想貼緊緊…
……
滿月之夜竟然可以過得如此平靜，
簡直就像作夢一樣…

隔天早上
チチチ…
ピピピ
39.2°C
…該怎麼說…
…真的很抱歉。
咳!咳!
沒關係啦…
呼…呼…
今天一整天你說什麼我都會照辦的。
摸摸頭
那…我想吃蘋果…
咳咳!
真可愛啊。
呵!
…你真的有對我感到很抱歉嗎…
當然有。
……

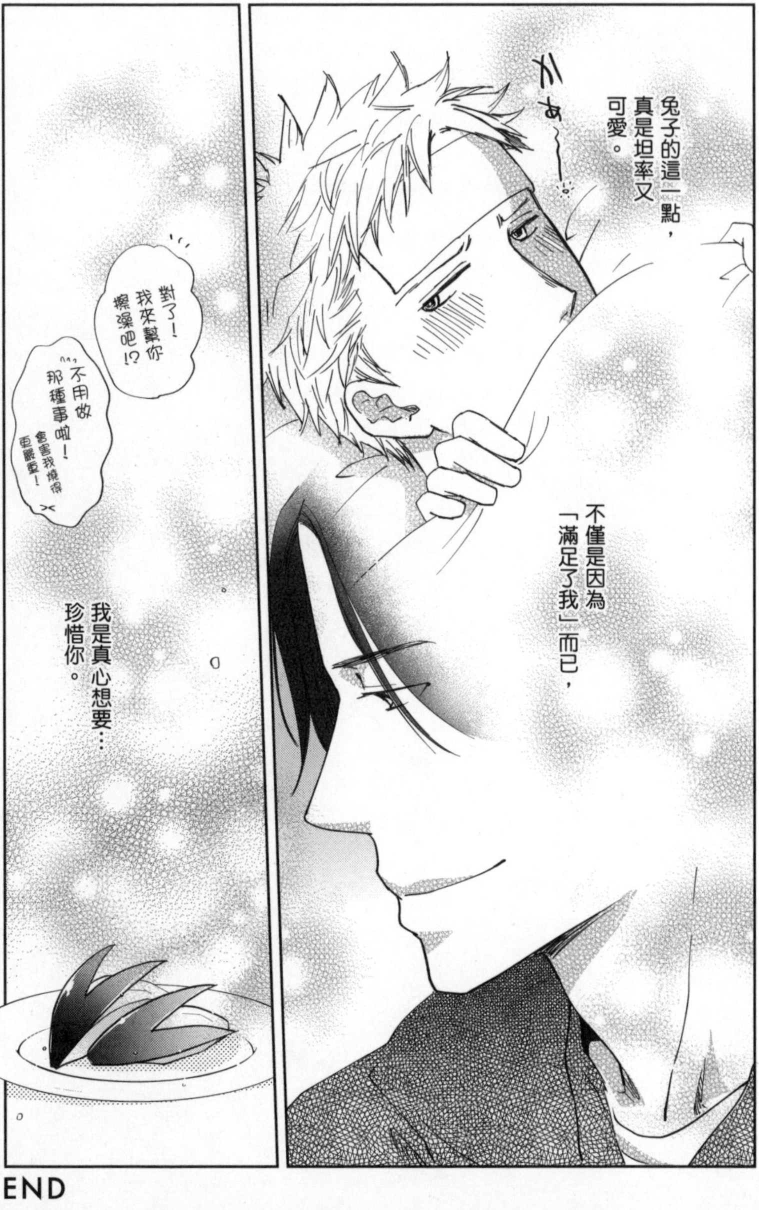
兔子的這一點，
真是坦率又
可愛。
かぁ～～…
不僅是因為
「滿足了我」而已，
對了！
我來幫你
擦澡吧！？
不用做
那種事啦！
會害我燒得
更嚴重！
我是真心想要…
珍惜你。

END

大家好，我們是佐崎いま＋高瀬ろく。

上次是「因香菸發情」，接著這次則是「因月亮發情」。
不知道各位覺得如何呢？
因為我們一邊想著「這樣真辛苦耶～躲不掉吧～」，
一邊創作這個故事，所以希望宇佐美跟大神
今後一定要互相扶持，度過這些難關呢（笑）。

這次也受到N責編非常多照顧，
也很感謝強力輔助我們進行繪圖工作的炭氏、なりすけ氏、サチ氏，
以及購買了這本書的各位讀者們！

2017.05　佐崎いま＋高瀬ろく

©Mio Tatsumoto 2016
暗影下的戀情 1
故鄉小島同學×陽光過敏症實業家
自重逢的那一刻起，
情意的火花就再也無法澆熄。
患有陽光過敏症的寬也，
從小就暗自傾心於同學拓斗。
他一直隱藏見不得人的欲望，
離開故鄉小島十五年。
這時，寬也的企畫公司接到了一通電話。
電話的另一頭，是他想忘也忘不了的
初戀男子拓斗的聲音——……
たつもとみお
限
未滿十八歲
之人不得閱聽
Kadokawa Comics Girl Series

Kadokawa Comics
Girl Series

兔子刑警的發情期！①
(原著名：発情期じゃなきゃ殴ってる!)

2018年10月22日 初版第1刷發行

作　　者：佐崎いま＋高瀨ろく
譯　　者：帽子

發 行 人：岩崎剛人
總 經 理：楊淑媜
資深總監：許嘉鴻
總 編 輯：蔡佩芬
編　　輯：江宇婷
美術設計：莊捷寧
印　　務：李明修（主任）、黎宇凡、潘尚琪

發 行 所：台灣角川股份有限公司
地　　址：105台北市光復北路11巷44號5樓
電　　話：（02）2747-2433
傳　　真：（02）2747-2558
網　　址：http://www.kadokawa.com.tw
劃撥帳戶：台灣角川股份有限公司
劃撥帳號：19487412
法律顧問：有澤法律事務所
製　　版：巨茂科技印刷有限公司
I S B N：978-957-564-521-2

香港代理：香港角川有限公司
地　　址：香港新界葵涌興芳路223號新都會廣場第2座17樓1701-02A室
電　　話：（852）3653-2888